치매, 경도인지장애

(치매 두려워하지 마세요)

치매, 경도인지장애 (치매 두려워하지 마세요)

발 행 | 2024년 1월 8일
저 자 | 최경화
펴낸이 | 한건희
펴낸곳 | 주식회사 부크크
출판사등록 | 2014.07.15(제2014-16호)
주 소 | 서울특별시 금천구 가산디지털1로 119 SK트윈타워 A동 305호
전 화 | 1670-8316
이메일 | info@bookk.co.kr

ISBN | 979-11-410-6541-6

www.bookk.co.kr

치매, 경도인지장애

지은이: 최경화

* 지은이의 말

어머님께서 예전과 조금 달라지셨을 때
우리 어머님이 그럴 리가 하면서
치매라는 생각을 전혀 하지 못 했어요.

그런 변화가 치매 초기증상이라는 것을 알고
치료를 시작했다면 얼마나 좋았을까요.

우리나라 노인 10분 중 1은 치매이고
그 전 단계인 경도인지장애는 그 두 배 이상이지만
치매와 경도인지장애 초기 증상을 인식하지 못해
치료의 골든타임을 놓쳐 버립니다

인지장애가 인식되기 수십 년 전부터 뇌에서는 치매와 관련된 변화가 일어나기 시작하며
최대한 빨리 개입을 하는 것이 효과적이고
치매의 15%는 조기발견으로
증상을 억제하거나 지연시킬 수 있습니다.

조기발견과 치료의 중요성

치매 증상과 그 대처법을 알았더라면.....

치매 연구를 하면서 생기는 아쉬움과 후회

그리고 미안한 마음

치매에 걸려도 잘 살 수 있는 방법을

함께 연구해보아요.

목 차

제1장

치매와 경도인지장애

1. 치매와 경도인지장애의 정의

1) 치매의 정의

치매관리법 제2조에 따르면 “치매는 퇴행성 뇌 질환 또는 뇌혈관계 질환 등으로 인하여 기억력, 언어능력, 지남력, 판단력 및 수행능력 등의 기능이 저하됨으로써 일상생활에서 지장을 초래하는 후천적 다발성 장애이다”.

* 인지기능 손상으로 자신이 어디에 있는지 주변 환경이 어떻게 변화하는지 모르게 되는 혼돈 상태이다.

* 70~80여 가지의 병이 발병요인인 정신신경과적 질환이다.

* 90% 이상에서 행동심리증상(신체적 공격, 소리 지르기, 초조, 배회, 불안, 환각, 망상 등)이 동반된다.

* 뇌액에 아밀로이드 베타 42, 타우단백질 등이 축적되고 MRI에서 측두엽의 감소를 발견할 수 있다.

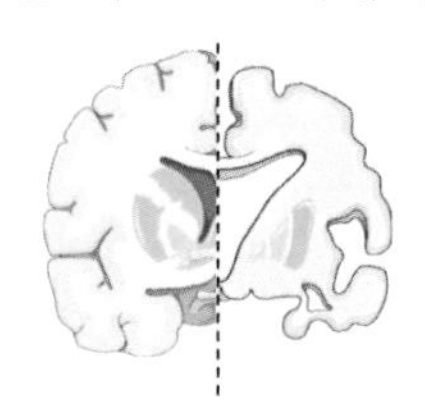

2) 경도인지장애의 정의

경도인지장애는 뇌에 병리적 변화는 시작되었으나 아직 치매라고 할 수 없는 정상 노화와 치매 사이의 단계이다. 뇌의 기능은 나빠졌으나 신경학적 변화는 없다.

자신의 인지기능에 문제가 있음을 스스로 인식하기 시작하는 단계이다. 치매로 진행되지 않도록 지속적인 관리를 하면 완치될 수도 있으나 방치하면 정상 노화보다 치매로 진행될 가능성이 10배 이상 높다. 치매 발병 20여 년 전부터 경도인지장애 증상이 나타날 수 있다. 이때 치료를 시작하면 신경학적 변화가 아직 시작되지 않았으므로 치매에 걸리지 않을 수 있다. 다음과 같은 증상이 있으면 경도인지장애를 의심해볼 수 있다.

(1) 주변 사람이 환자의 기억력이 나빠졌다고 불평한다.
(2) 나이, 학력에 비해 기억력이 심하게 나쁘다.
(3) 전반적인 인지기능은 보존되어 있다.
(4) 일상생활은 온전하게 유지할 수 있다
(5) 치매는 아니다

3) 정상노화, 경도인지장애, 치매의 기억력 비교

건망증(정상 노화)	경도인지장애	치매
뇌의 생리적 현상	뇌의 병리적 변화	뇌의 질환
사소한 잘 일은 잊는 경향이 있다	환자 자신보다도 주변 사람이 환자의 기억력이 나빠졌다고 불평한다	중요한 일, 사소한 일과 무관하게 잊어 버린다.
힌트를 주거나 곰곰이 생각하면 기억할 수 있다	힌트를 주면 기억할 수도 있다.	그 일 자체를 잊어버린다.
기억력만 저하된다.	하위 유형에 따라 기억력, 인지장애의 정도가 다르다.	기억력 외에도 집중력, 시공간 능력, 언어 등 복합적인 인지 기증 저하가 나타난다.
객관적 인지장애가 없다	객관적 인지 장애가 있다	
독립적 일상생활을 할 수 있다		혼자 일상생활을 할 수 없으며 도움이 필요하다

* 경도인지장애 환자가 정상으로 회복되는 데 도움을 주는 요소는 조기발견, 젊은 나이, 당뇨나 고혈압 같은 혈관질환 관리, 운동, 여가생활, 긍정적인 삶, 결혼 유지, 사회생활, 독서, 시각과 청각 유지 등이다.

* 치매가 아닌데 치매로 오인되는 상태

극도의 과음, 우울증, 약의 부작용, 갑상선 문제, 비타민 부족 등도 기억력 저하, 혼동 등을 초래하여 치매로 오인될 수 있다. 이런 경우는 경도인지장애 상태에서 조기발견 하면 완치될 수 있다.

2. 치매와 경도인지장애의 진단

1) 선별검사(인지기능 저하 검사)

보건소에서 실시하며 60세 이상이면 누구나 무료로 검사할 수 있다.

신경심리평가, 주의집중력, 기억력, 언어사용능력, 공간지각능력, 고위인지능력, 판단력 등을 평가하여 인지능력이 저하된 영역과 저하 정도 파악.

2) 진단검사(치매진단 여부 검사)

선별검사에서 인지 점수가 낮은 사람은 거점병원에서 진단검사를 받는다.

직접 진찰로 소득 120% 이하인 사람만 진단검사, 감별검사 시에 혜택을 받는다.

3) 감별검사(치매 원인 진단 검사)

치매의 종류를 진단하기 위한 검사로 뇌 촬영 검사, 뇌척수액 검사, 혈액검사 등을 받는다.

당뇨, 고혈압, 고지혈증, 갑상선 기능 등 내과적 질환의 유무 등 자세한 병력도 조사한다.

MRI: 측두엽의 감소 등 뇌의 구조적 이상을 확인하기 위한 검사

PET: 알츠하이머 치매의 원인물질인 타우단백질과 아밀로이드가 뇌에 축적되었는지를 확인하는 검사.

4) 유전자검사: 아포지질단백 유전자형 검사

아포지질단백 E4(ApoE4) 대립유전자가 있으면 알츠하이머 치매의 발병가능성이 높다.

3. 치매와 경도인지장애의 유형

1) 치매의 유형

치매의 원인은 퇴행성 뇌질환(알츠하이머 치매, 루이체 치매, 전측두엽 치매, 파킨슨 치매), 뇌혈관 질환, 대사성 질환(예: 갑상선 기능 저하증), 감염성 질환, 우울증, 뇌종양, 뇌수두증, 잦은 두부 외상 등이다. 퇴행성 뇌질환을 제외한 다른 병은 조기 발견하여 치료하면 치매로 진행되지 않을 가능성이 높다.

(1) 알츠하이머 치매

* 전체 치매의 70% 이상을 차지한다.

* 베타아밀로이드 단백질, 타우단백질이 뇌에 점차 쌓이고 이로 인하여 신경세포가 죽으면서 발병한다. 베타아밀로이드 단백질이 축적되어 생기는 노인반은 주로 기억과 학습을 담당하는 뇌의 측두엽과 두정엽에 생긴다. 이로 인해 기억, 언어 등의 인지기능이 저하되어 치매에 걸린다.

* 두 물질이 축적되는 이유는 알 수 없다. 뇌세포들이 죽으면서 뇌의 크기도 축소된다.

* 인지기능 저하, 성격 변화, 대인관계 위축, 사회활동 제한

등이 점차 진행되는 퇴행성 질환이다.

* 처음에는 최근의 경험을 기억 못 하지만 과거의 일은 잘 기억한다.

* 병이 진행될수록 식사, 배변 등 생명 유지에 필수적인 활동도 잊어버리므로 독립적 생활이 불가능하다.

* 여성, 나이가 많을수록, 학력이 낮을수록, 직계 가족에 치매 환자가 있을 때, 심한 머리 손상, 권투선수처럼 반복적인 두부 손상이 있을 때, 다운증후군 환자, 아포지질단백 E4(ApoE4) 대립유전자가 있을 때 알츠하이머 치매 유병률이 높다.

(2) 혈관성 치매

* 원인: 뇌출혈, 뇌경색 등 뇌혈관의 질환

* 뇌혈관이 좁아지거나 막히는 허혈성 뇌혈관질환, 뇌혈관 파열로 인한 출혈성 뇌혈관질환이 원인이다.

* 뇌졸중 발병 후 3개월 이내에 뇌졸중 환자의 1/4이 치매 환자가 될 수 있다.

* 원인 뇌혈관 질환의 종류, 크기, 위치에 따라 다양한 증상과 경과가 나타난다. 손상 부위, 손상 정도, 손상 횟수에 따라 치매 발병 여부와 심각도가 결정된다.

* 가는 동맥의 폐색으로 나타나는 다발경색성 치매는 급성으

로 시작되어 침범되는 혈관이 증가함에 따라 단계적 증상들이 이어진다.

* 기억 장애보다 전두엽 기능/실행능력 장애가 뚜렷하다.

전두엽 기능: 사고력, 추리력, 감정 관리, 문제해결능력, 기억력, 운동능력 등

* 초기증상 : 보행장애 (좁은 보폭, 파킨슨 보행),

자세 불안정과 자주 넘어짐.

* 인격과 기분 변화, 우울, 무기력, 팔다리나 얼굴의 마비,

발음 장애, 삼킴 곤란, 요실금 등과 같이 뇌졸중에서 나타나는 증상이 동반될 수 있다

* 뇌혈관 질환의 병력이 있어도 잘 치료하면 혈관성 치매를 예방할 수 있다. 혈관성 치매는 남성이 여성보다 유병률이 높은데 뇌졸중의 주요 요인인 흡연, 음주 등이 남성에게 더 많기 때문일 것이다.

* 뇌혈관 질환의 원인일 수 있는 당뇨, 고혈압, 고지혈증을 치료한다.

(3) 파킨슨병 치매

* 파킨슨 환자의 치매 유병률은 일반인보다 6배 높다.

* 파킨슨병 발병 후 1년이 지난 뒤에 치매가 나타난다.

* 전두엽의 기능 저하로 집중력, 집행능력, 시공간 구성능력,

기억력 등의 기능이 저하된다.

* 기억을 저장, 유지하는 기능은 정상이나 인출과정에 문제가 있어 자유 회상은 잘못하지만 어떤 사실에 대한 힌트를 주면 기억할 수 있어 알츠하이머보다 경미한 기억력 장애가 나타난다.

* 몸의 정교한 활동을 위한 신경전달물질인 도파민의 분비 감소로 여러 증상이 생긴다.

* 신체 증상: 손과 발의 떨림, 근육경직, 운동 신경의 장애로 인한 느린 행동, 자세 불안, 실신, 특이한 형태의 보행과 균형장애로 인한 낙상, 잦은 침 흘리기, 잦은 사래.

* 정신 증상: 불안, 우울, 환각(특히 환시), 섬망, 인지기능 장애, 후각 장애, 변비, 수면장애 등의 자율신경계 문제로 인한 증상.

* 발병 10년 전부터 나타나는 전구증상: 렘 수면 행동장애(심한 잠꼬대, 발차기 등)

* 약물치료에 사용되는 레보도파(levodopa)는 부족해진 뇌 안의 도파민을 외부에서 보충해주는 약이다. 오랜 약물치료로 효과가 없을 때 수술을 할 수 있지만 약물치료와 수술치료도 병을 완치시킬 수 없으며 부작용이 있을 수 있다.

* 물리치료, 운동요법으로도 증상을 호전시킬 수 있다.

(4) 루이체 치매

* 초기에는 기억 장애보다 집중력, 집행능력, 시공간 구성 능력의 장애가 더 심하다.
* 반복적이고 구체적 환시가 있다: 예) 귀신이 보인다
* 초기에는 낮잠을 많이 잔다.
* 파킨슨 증상이 나타난다
* 렘 수면장애가 자주 나타난다.
* 반복되는 낙상 혹은 실신을 경험한다.
* 자율신경계 이상: 예) 기립성 저혈압, 요실금
* 체계적인 망상이 생긴다
* 치매 증상이 파킨슨병 전 혹은 같은 시기에 나타나면 루이체 치매, 치매 증상이 파킨슨 발병 1년 후에 나타나면 파킨슨병 치매.

(5) 전두측두엽 퇴행

* 알츠하이머와 비슷한 퇴행성 치매이다.
* 알츠하이머는 측두엽과 두정엽이 먼저 손상된다.
* 전두측두엽 퇴행은 전두엽과 측두엽 먼저 손상된다.
* 언어, 절제, 판단, 사고 기능 저하가 기억력 저하보다 먼저 나타나 무례한 행동을 하거나, 충동 조절이 어려우며 상황 판

단을 잘못하고 남을 이해하지 못해서 성격이 변한 것처럼 보인다.

* 알츠하이머 치매보다 젊은 나이에 발병되며 발병 후 평균 10년 정도 생존한다.
* 전두측두엽 퇴행의 가족력이 있는 환자가 많아 유전적 요인이 있다고 볼 수 있다.
* 충동 조절, 기분 조절을 위해 항정신병약물, 항우울제 등을 사용한다.

(6) 알코올성 치매

* 알코올 중독 환자의 3% 정도에서 나타난다.
* 지속적 음주로 인한 비타민 B1 결핍으로 뇌가 손상되어 생기는 치매
* 뇌 전두엽의 손상으로 충동조절능력과 판단력이 저하되어 행동 및 성격에 변화가 생긴다.
* 기억력 감퇴, 판단력 손상, 언어장애, 공간 지각능력 장애 등이 나타난다.
* 충동적으로 화를 내는 등 대인관계에 이상이 생긴다.

(7) 초로기 치매

* 유전적 요인: chromosome 14(병원균을 발견하여 공격하

는 면역 글로블린이 들어있는 염색체)의 결합

* 65세 이전에 발병: 40-50대 혹은 30대에도 발병한다.

* 젊을 때 발병해서 사회적, 가정적 의무와 책임을 다할 수 없어 우울, 좌절, 무기력 등을 경험하게 된다.

* 기억력 상실, 혼동, 불안, 안절부절 등의 증상이 나타난다

* 물건 어딘가에 두고 못 찾는다.

* 익숙한 일도 잘 할 수 없다

* 성격과 행동에 변화가 생긴다.

* 판단력이 저하된다.

* 의사소통 능력이 손상된다.

(8) 기타 치매

* 헌팅톤 병에 의한 치매: 헌팅톤 병은 뇌의 퇴행을 초래하는 병으로 유전적 요인이 있으며 30~50세에 발병한다.

* AIDS로 의한 치매: AIDS 환자의 절반 이상에서 치매가 나타난다.

* 매독 말기에는 두뇌 손상으로 치매증상 나타난다.

* 뇌수두증으로 인한 치매: 두부 외상, 지주막하 출혈, 뇌염, 뇌막염 등으로 인해 지주막 융모에서 뇌척수액이 흡수되지 않아 발생하며 서서히 치매가 진행된다.

* 광우병으로 인한 치매

2) 경도인지장애의 유형

(1) 기억상실형 단일영역 경도인지장애

다른 인지기능은 정상 노화와 차이가 없으나 기억력이 심하게 저하된 상태. 환자도 자신의 기억력이 나빠졌다고 호소하고 주변 사람도 환자의 기억력이 나빠졌다고 불평한다. 알츠하이머 치매로 전환될 가능성이 있다.

(2) 기억상실형 다중영역 경도인지장애

다양한 인지능력의 저하가 있다.

알츠하이머 치매, 혈관성 치매로 전환될 가능성이 있다.

(3) 비기억상실형 단일영역 경도인지장애

기억력은 좋다. 수행기능, 언어, 시공간 인지력 중 하나의 인지능력이 저하되어 있다.

전두측두엽치매로 전환될 가능성이 있다.

4) 비기억상실형 다중영역 경도인지장애

기억력은 좋다. 수행능력, 언어, 시공간 인지력 등의 저하가 있다.

루이체 치매, 혈관성 치매로 전환될 가능성이 있다.

4. 치매와 경도인지장애의 증상

1) 치매의 증상

치매의 증상은 사람마다 다 다르게 나타난다.
여기서는 일반적으로 나타나는 증상들을 알아본다.

(1) 직업이나 일상생활에 영향을 초래할 정도로 최근 일에 대한 기억력 상실이 있다.

* 최근 대화 내용을 계속해서 물어본다.
* 방금 한 말을 처음 하는 것처럼 반복해서 말한다.
* 금방 들었던 말을 잊어버린다.
* 예전 일은 잘 기억한다.
* 최근에 있었던 일을 기억하지 못한다.
* 약속을 잊어버린다.
* 식사한 사실을 잊고 자꾸 밥을 달라고 한다.

(2) 언어 사용이 어려워진다.

* 물건의 이름이 생각나지 않아 '이것', '저것'이라고 한다.
* 말이 줄어든다.
* 상대방의 말을 이해하지 못한다.

* 같은 말을 반복한다.

(3) 시간과 장소의 혼동

* 현재의 날짜, 요일, 계절 등을 알지 못한다.
* 밤과 낮을 혼동한다.
* 늘 다니던 곳에 갔다가도 집을 찾지 못한다.
  예) 전부터 다니던 병원에 혼자 가지 못한다.
* 자신이 어디에 있는지 알지 못한다.

(4) 판단력이 저하되어 그릇된 판단을 자주 한다.

* 귀가 얇아져서 남의 말을 잘 듣거나 반대로 고집이 아주 세지기도 한다.
* 계획 세우기, 직장 생활 등을 수행하는 능력이 손상된다.

(5) 익숙한 일을 처리하는데 어려움이 있다.

* 자주 하던 요리법도 잊어버린다.
* 취미 활동 등 좋아하는 일도 하기 어렵다.

(6) 돈 관리에 문제가 생겼다.

* 돈을 여기저기 집어넣고 못 찾는다.
* 돈 계산을 잘하지 못한다.
* 돈을 구분하지 못한다.

(7) 물건을 간수하지 못한다

* 물건을 찾지 못하면 주변 사람을 의심한다.

(8) 기분, 행동, 성격의 변화

* 과묵하던 분이 말이 많아지는 경우도 있다.
* 욕을 하지 않던 사람이 심한 욕을 한다.
* 예전과 달리 성적인 발언을 서슴없이 한다.
* 불안, 우울, 난폭행동, 불면증 등을 경험한다.

(9) 자발성이 감소된다

* 식사, 용변, 목욕, 옷 입기 등 기본적인 일상생활을 혼자 할 수 없다

(10) 요리, 길찾기처럼 복잡한 과정이 있는 일을 할 수 없다.

(11) 무표정하고 의심이 많아진다.

서울특별시 광역치매센터 바로가기

2) 경도인지장애의 증상

(1) 우울증

우울증이 심하면 인지 손상도 심해질 수 있다. 치매환자의 30~40%는 우울증을 앓고 있으며 우울은 치매의 전구증상일 수도 있다.

(2) 체중 감소

원인이 없는 체중 감소는 알츠하이머로 이어질 수 있다. 알츠하이머는 뇌의 기억 영역뿐 아니라 음식물 섭취와 신진대사 관련 영역도 손상시키기 때문이다.

(3) 후각 이상

후각 기능에 이상이 있는 사람은 보통 사람보다 인지기능장애가 발생할 가능성이 높다. 양파와 후추가루 등 익숙한 냄새를 구분하지 못하면 알츠하이머에 걸렸을 가능성이 높다.

아포지질단백 E4(ApoE4) 대립유전자대립 유전자가 있으면 후각 약화가 빨리 온다. 후각 약화 이후에 인지장애가 뒤따른다.

(4) 수면 장애

경도인지장애 환자의 40%에서 수면장애가 있었다. 수면장애의 원인 파악과 중재가 필요하다.

(5) 운동 신경 장애

앉았다 일어날 때 전보다 느리게 움직인다. 잘 넘어진다.

(6) 판단력 저하로 교통사고가 잦아진다.

(7) 익숙하게 사용하던 물건 사용에 어려움이 있다.

(8) 지하철 환승, 길찾기 등 복잡한 일을 하지 못한다.

(9) 간단한 계산을 잘 하지 못한다.

(10) 방향 감각, 지남력 저하로 집을 찾지 못한다.
(11) 무감각해지거나 화를 벌컥 내는 등 감정의 변화가 심하다.
(12) 재미있는 영화나 드라마를 보면서 스토리를 이해하지 못한다.
(13) 옛날 일은 잘 기억하지만 방금 일은 기억하지 못한다.
(14) 불안, 초조.

5. 치매와 경도인지장애의 경과

	초 기	중 기	말 기
발병 후	3년 정도 경과	3~10년	10년 이후
증상표현	스스로 표현	표현이 어렵다	표현 불가
인지 기능	* 단기 기억 저하 * 지남력 약화	* 장기기억도 저하 * 친한 사람은 인식할 수 있다. * 판단력, 지남력 저하 * 자주 길을 잃음	* 심한 기억 장애 * 친한 사람도 인식 불가 * 특정 시기는 기억 * 실내에서도 길을 잃음
의사소통	* 가끔 적절한 단어를 찾지 못함 * 같은 말 반복	* 단어를 몰라서 '이것, '저것'으로 지칭 * 남의 말 따라 하기 * 이해력 부족 * 작화, 혼잣말	* 대화 불가 * 몇 개의 단어만 사용 * 표정과 비명으로 소통
감정, 행동 변화	불안, 우울, 짜증	불안, 우울, 짜증이 심각. 배회, 망상, 환각	* 이동력 저하, * 보행장애 * 반복행동 * 무관심, 무기력

		초 기	중 기	말 기
일상생활	식사	무관심 혹은 지나친 관심	식사태도 이상 종이/변 등을 먹는다	혼자 식사 불가
	배설	가끔 실금	잦은 실금	배설에 대해 거의 인식하지 못한다
	수면	불면, 낮잠	밤과 낮이 바뀜, 수면장애	종일 얕은 잠
	기타	독립생활은 가능하나 부주의	옷입기, 개인위생, 기기 사용등이 어려워짐	완전 의존, 주로 와상 욕창 발생
배회		집을 나가 추억의 장소 등 어딘가 가려 함	집에 있으면서도 집에 가려 함	주로 와상
이상체험		환각, 망상, 질투, 섬망		
개입		* 감정표현 격려 * 환자와 보조 맞추기 * 강요하지 않음	*행동심리 증상치료 *안전위주의 돌봄	* 표정과 감정의 변화 관찰 * 통증 확인 * 감염 확인 * 욕창 치료

경도인지장애의 경과

* 조기 발견하여 관리를 받으면 10~15% 정도는 완치가 가능하다.
* 진단을 받았을 때 젊고 취미 활동 등 사회적 교류를 활발하게 하고 있고 당뇨가 없고 주관적으로 사회·경제적 지위가 높다고 느낄수록 정상회복 가능성이 높다.
* 나이가 많고 고립되어 있으며 우울증이 있고 고혈압과 고지혈증 등의 기저질환이 있고 주관적으로 사회·경제적 지위가 낮다고 느낄수록 치매로 전환될 가능성이 높다.
* 가족과 사회의 지지가 많으면 치매로 전환될 가능성은 낮다.
* 경도인지장애 환자의 연간 치매 유병률은 10~12%로 일반인보다 10배 이상 높다.
* 관리를 받지 않은 경도인지장애 환자는 6년 이내에 100% 치매로 전환된다.

제2장
치매 예방법

1. 발병요인 찾기

1) 원인 불명

치매는 퇴행성 질환으로 장기간에 걸쳐 진행된다.
추정 요인 중 60%는 알 수 없다.
40%는 성인병 등 원인 제거, 라이프스타일 수정 등으로 치매로 전환되지 않을 수 있다.

2) 나이가 가장 중요 요인

나이가 들면서 혈압이 상승하고 질병에 취약해지며 신경 세포, DNA, 세포 구조 등이 변화된다.
이에 따라 신체의 자연 치유력이 약화되고 면역 체계도 변화된다. 여성이 치매에 걸릴 확률이 남성보다 높은 이유는 여성이 더 오래 살기 때문일 것이다. 또 여성을 보호해주는 호르몬의 감소도 치매를 유발할 수 있다.
나이가 젊을수록 또 경도인지장애에서 정상으로 회복될 가능성이 높으므로 조기발견이 중요하다.

3) 유전적 요인

유전성 치매는 많지 않지만 부모나 형제 등 직계 가족이 알츠하이머 치매에 걸린 경우 치매에 걸릴 가능성이 높다.
초로기 치매는 유전 가능성이 높다.
아포지질단백 E4(ApoE4) 대립유전자가 있으면 치매에 걸릴 가능성이 높다.

4) 원인을 알 수 있는 요인

난청, 머리 외상, 고혈압, 당뇨, 알코올 과다섭취, 비만, 흡연, 우울증, 활동 부족, 사회적 고립, 오염된 공기 흡입 등은 수정될 수 있는 치매의 원인이다.

(1) 흡연
담배의 성분인 니코틴으로 인해 심혈관 질환, 당뇨, 중풍 등에 걸릴 위험이 증가한다. 니코틴은 혈관을 수축시켜
심장과 뇌의 혈관에 손상을 줄 수 있다.
(2) 약물 오, 남용
질병 치료제, 한약제, 비처방약물 등을 많이 복용하면 약물들의 상호작용으로 부작용이 증가하여 치매를 일으킬 수 있다.
(3) 좋지 않은 생활 습관
신체활동 부족, 좌식의 라이프스타일, 극단적 음주, 포화지방·설탕·소금이 많이 들어 있는 음식 섭취, 중년기 이후의 비만.
(4) 성병 감염: 매독의 치료가 늦어지면 신경매독이 되어 치

매 증상이 나타난다. HIV(에이즈) 바이러스가 뇌에 침범하면 치매로 진행된다.

(5) 사회적 고립: 혼자 있으면 치매에 걸릴 가능성이 높아지므로 어떤 형태이든 사회생활이 중요하다.

(6) 공해

(7) 청력저하: 청력저하로 혼자 고립될 가능성이 높다. 청력과 시력의 손상이 동시에 있으면 치매 유병률이 더 높아진다.

(8) 외상성 뇌손상

교통사고 등으로 두부 외상이 심하면 치매 유병률이 높아진다.

(9) 시력 저하: 백내장, 황반변성 등으로 시력이 나빠지면 치매에 걸릴 가능성이 높아진다. 녹내장은 안압이 높아져 시력 상실로 이어질 수 있는 질병으로 눈으로 연결되는 뇌혈관에도 영향을 미쳐 혈관성치매로 전환될 수 있다.

(10) 지속적인 과음은 치매 유병률을 높인다. 가벼운 반주는 건강에 좋다는 속설은 사실이 아니며 지속적인 음주는 오히려 치매 가능성을 높인다. 치매 예방을 위해서는 금주해야 하며 필름이 끊기는 등의 극단적 과음은 절대 금물이다.

(11) 우울증

우울증은 치매와 같이 오는 경우가 많으며 우울증 자체가 치매로 오인을 받기도 한다. 65세 이후에 처음 걸린 우울증은 뇌혈관 이상으로 인한 경우가 많다. 이는 혈관성 치매와 원인이 같을 수 있으므로 검사를 통해 우울증과 치매를 구별해야 한다. 치매 환자는 우울증 환자보다 방향 감각 상실과 의심이 심하다.

2. 기저 질환 치료

1) 파킨슨병은 치료하지 않으면 대부분 치매로 이어지므로 조기 발견하여 철저하게 치료한다.

2) 당뇨병 치료 중에 저혈당이 되면 뇌에 영양 공급이 차단되어 뇌세포가 손상을 입을 수 있다. 이로 인해 치매 발생 가능성이 높아진다.

3) 뇌혈관의 질환은 혈관성 치매의 원인이 될 수 있다. 고혈압, 당뇨, 고지혈증, 녹내장 등을 치료한다.

4) 백내장, 황변변성, 당뇨성망막증 등의 안과 질환도 방치하면 치매의 원인이 될 수 있다. 60세 이후에는 정기적 안과 검진으로 안과 질환을 조기 발견하여 치료해야 한다.

3. 생활습관 변화

1) 과일과 채소를 포함하는 다양한 식사하기

수분을 충분히 섭취하고 균형 있는 식사를 한다.

지중해식 식단(올리브유, 견과류, 채소 위주)과 마인드 식단(콩, 계란, 두부, 과일을 많이 먹고 동물성 지방, 설탕, 과도한 지방, 소금은 절제하는 고혈압 예방 식단)을 권한다.

패스트푸드, 튀김, 단 과자류, 등은 제한하고 과음하지 않는다.

2) 저염, 저지방 식사

치매에 해로운 음식

1. 탄수화물과 지방이 함께 있는 음식: 튀김, 빵, 과자 등
2. 가공육: 베이컨, 소세지 등
3. 술: 뇌졸중, 고혈압의 원인. 알코올성 치매 유발

3) 정기적인 운동

신체 활동량의 감소는 치매의 원인이 될 수 있다. 일주일에 두 번 이상, 여러 사람과 함께 운동하면 만성질환을 예방할 수 있고 사회성도 향상되어 치매 예방 효과가 더 크다. 좌뇌와 우뇌를 고르게 사용할 수 있는 운동을 한다.

4) 스트레스 관리

지속적인 스트레스 호르몬의 분비는 뇌 해마에 손상을 줄 수

있으므로 스트레스가 쌓이지 않게 한다. 심한 스트레스를 받은 후 기억장애가 생긴 노인은 치매 검사를 받아 보게 한다.

5) 사회활동 유지하기

즐겁게 보낼 수 있는 취미 생활을 지속하고 가족, 친지와 좋은 관계를 유지한다. 봉사 활동 등으로 활동반경을 확장하여 사회적인 연결고리를 놓지 않게 한다. 사회활동은 행복을 느끼게 하는 베타 엔도르핀의 분비를 증가시켜서 알츠하이머 치매를 예방하는 효과도 있다. 혼자 소외되면 치매에 걸리기 쉽다.

6) 인지 활동

숫자 맞추기, 낱말 맞추기, 디지털 게임, 손동작 등의 인지활동은 기억력을 관장하는 해마의 위축을 지연시켜 치매의 진행을 늦추거나 예방할 수 있다.

7) 야외활동 즐기기

8) 충분한 수면

숙면할 때 뇌 속의 노폐물이 제거되므로 숙면하는 것이 중요하다. 낮잠 자지 않기. 적절한 운동, 규칙적인 생활 등으로 밤에 숙면할 수 있게 한다.

9) 금주와 금연

4. 치매예방 10대 수칙

1) 고혈압을 치료한다.

2) 콜레스테롤을 점검한다.

3) 심장병을 초기에 발견해 치료한다.

4) 적절한 운동을 꾸준히 한다.

5) 절대 금연.

6) 과음은 절대 금물.

7) 일, 취미 활동을 지속한다.

8) 당뇨병을 관리한다.

9) 중년기에 비만을 조심한다.

10) 우울증을 치료한다.

출처: 서울특별시 광역치매센터 홈페이지

제3장
조기발견의 중요성

* 조기발견

조기발견은 삶의 질 향상과 경제적 부담 감소의 2중 효과가 있다. 진단을 얼마나 빨리 하는가에 따라 치매 치료의 성공 여부가 결정된다.
우리나라에서는 전체 치매 환자의 50%만 치매 진단을 받고 진단을 받은 환자의 25%만 치료를 받고 있다.

1. 조기발견의 이점

1) 완치될 수 있다

치매 환자의 10~15%는 뇌세포가 죽지 않은 시기에 발견한다면 원인질병 치료로 완치될 수 있다.
뇌종양, 심각한 우울증, 갑상선 질환, 약물 부작용, 영양 문제로 인한 치매는 조기 발견하면 회복될 수 있다.

2) 치료 효과가 크다

약물은 살아있는 세포에만 작용한다. 조기발견으로 살아있는 뇌세포가 많을 때 치료를 시작하면 치매의 진행을 늦출 수 있어 경미함, 중간 정도의 상태를 오래 유지할 수 있다. '예쁜 치매'로 삶의 질이 높아질 수 있다.

3) 체계적 관리로 신체적, 정신적, 사회적 건강의 악화를 지연시켜 삶의 질을 높일 수 있다.

4) 다양한 문제에 대처할 수 있다.

예) 유산상속, 경제적 혹은 법적 문제 대처.

5) 치료와 지원을 조기에 시작할 수 있다

* 치매치료제가 개발되지 않았기 때문에 조기진단으로 치매의 진행을 늦추는 것이 효과적이다.
* 인지기능 개선제의 조기 투약으로 병의 진행을 늦출 수 있다.
* 다양한 인지 활동 등 비의료적 개입을 통해서 증상 악화를 완화시킬 수 있다.
* 노인장기요양보험, 국민건강보험 등 정부의 지원을 일찍 받을 수 있다.

2. 자가진단표

※ 경도인지장애 자가진단표

1. 오늘이 몇 년, 몇 월, 몇 일인지 잘 모른다.
2. 주변 사람의 도움을 받아야 물건을 찾는 경우가 있다.
3. 같은 질문을 반복한다.
4. 자주 약속을 잊어버린다
5. 물건 살 때 필요한 것을 1~2개 빠뜨린다.
6. 잘 아는 사람이나 물건의 이름이 금방 생각나지 않는다.
7. 아는 길을 찾지 못해 헤매기도 한다.
8. 대화 내용을 이해하기 어렵다.
9. 계산 능력 저하로 물건값, 거스름돈 계산을 예전보다 잘하지 못한다.

(5개 이상 해당 되면 경도인지장애 검사 필요)

https://brunch.co.kr/@healtip/937

※ 치매 자가진단표

1. 내 기억력에 심각한 문제가 있다고 생각한다.
2. 기억력이 10년 전보다 심하게 나빠진 것 같다.
3. 내 기억력이 또래의 다른 사람보다 심하게 나쁜 것 같다.
4. 기억력 저하로 일상생활에 불편을 느낀다.
5. 최근에 일어난 일을 기억하기 어렵다.
6. 며칠 전 나눈 대화 내용을 기억하기 어렵다.
7. 며칠 전 약속을 기억하기 어렵다.
8. 친한 사람의 이름을 기억하기 어렵다.
9. 물건 둔 곳을 기억하기 어렵다.
10. 예전보다 물건을 자주 잃어버린다.
11. 집 근처에서 길을 잃은 적이 있다.
12. 가게에서 물건을 두세 가지 사려고 하는데 그 이름을 기억하기 어렵다.
13. 가스불이나 전등 끄는 것을 기억하기 어렵다.
14. 자주 사용하는 전화번호나 자신 혹은 자녀의 집을 기억하기 어렵다.

* 6개 이상 해당되면 치매검사 권장(출처: 보건복지부 중앙치매센터)

3. 관찰에 의한 발견

1) 청력 약화 - 언어능력 저하 – 인지저하 - 치매가 될 수 있다. 보청기 사용, 귀지 제거, 이비인후과 치료 등으로 청력 약화를 막는다.

2) 눈에서 뇌로 가는 통로가 손상되어 눈이 침침해지는 것이 알츠하이머 치매의 첫 신호일 수 있다. 또 백내장, 황반변성 등으로 인한 시력 저하로 시각적 자극이 감소하면 인지기능 저하 및 치매로 이어질 수 있다.

3) 환시, 시각적 정확성 감소, 콘트라스트 감소, 시각적 집중력 부족, 공간 기능 감소 등은 파킨슨 치매와 루이체 치매의 조기 증상이다

4) 감각의 변화를 인지하면 치매를 조기 발견할 수 있다.

예) 어머니가 음식을 짜게 하는 등 음식 솜씨가 변하면 미각의 변화일 수 있으므로 치매 검사를 받게 한다.

5) 언어기능 장애가 있다면 TV 방송 내용을 이해할 수 없어서 볼륨을 높인다.

6) 성격, 감정의 변화를 감지해도 치매를 조기 발견할 수 있다.

7) 시공간 인지능력 저하로 익숙한 곳에서도 길을 잃는다.

8) 낮잠을 많이 잔다.

9) 행동이 느려지고 집안일이 서툴러진다.

10) 망상, 환각도 치매 초기부터 나타날 수 있다.

치매 예방을 위한 하기 위한 3권, 3행, 3금

1. 3권

일주일에 3번 이상 걷기

생선, 채소를 챙기고 싱겁게 먹기

부지런히 읽고 쓰기

2. 3행

정기적 건강검진:혈압, 혈당, 콜레스테롤 정기검사

소통: 가족, 친구, 지인과 자주 만나기

치매 조기발견: 매년 보건소에서 치매검사 받기

3. 3금

* 절주: 술은 1회에 3잔 이하 마시기
* 금연
* 뇌손상 예방: 머리 다치지 않게 조심하기

제4장

치매 증상 대처법

1. 조호자의 기본 자세

1) 치매의 초기증상을 알아야 한다.

2) 조기진단을 도움이 되는 정보를 의료진에게 제공한다.

3) 환자의 의도를 파악하기 위해 환자의 표정, 작은 행동에도 관심을 갖는다.

4) 치매는 기질적인 병이므로 환자가 일부러 그런 행동을 하는 것이 아님을 잊지 말아야 한다.

5) 환자의 욕구를 존중하고 고려한다.

6) 환자의 독립성 향상을 위해 혼자 할 수 있는 일은 혼자 할 수 있도록 격려한다.

7) 불안 완화를 위해 웃어주거나 손을 잡는 등의 스킨십도 필요하다

8) 환자의 경험을 이해하려 노력한다.

9) 환자가 같은 행동, 질문 등을 반복하더라도 처음 하는 것처럼 대한다.

10) 흡인, 질식, 낙상 사고를 예방하기 위해 노력한다.

11) 가족이나 다른 돌봄 제공자의 의견도 존중한다.

* 행동심리증상에는 비의료적 개입을 먼저 시작한다.
* 비의료적 개입이 비효율적일 때 의료인의 지시에 따라 약물치료 시작한다.
* 개입이 필요한 행동심리증상의 종류, 빈도, 심각성 등을 파악한 후 의료인의 지시에 따라 개입한다.
* 증상 촉발 요인을 발견하여 제거한다.
* 개입의 목적은 행동심리증상을 없애는 것이 아니라 돌볼 수 있을 정도로 완화시키는 것이다.
* 터치, 장난감, 친숙한 개인의 물건 등을 이용하여 환자를 안정시킨다
* 미술치료, 음악치료, 향기치료, 댄스치료, 원예치료, 마사지, 애완동물 치료 등을 활용할 수 있다.
* 회상요법: 좋은 기억을 불러내어 환자의 자신감, 자긍심을 높이는 요법이다. 노래, 춤, 그림 등 예전에 좋아했고 능숙하게 했던 활동을 찾아낸다.

2. 비의료적 개입

1) 행동심리증상 대처 요령

치매에 걸리면 뇌세포 손상에 따른 인지장애 이외에도 신체적 공격, 소리 지르기, 물건 숨기기, 욕하기, 따라 다니기, 불안, 초조행동, 배회, 반복행동 등의 행동심리증상이 나타난다. 이런 증상은 충족되지 못한 욕구를 표현하려는 의사소통 수단이다. 통증, 발견되지 않은 감염 때문에 그런 증상이 나타날 수 있다.

(1) 손을 잡는 등의 가벼운 신체 접촉으로 행동심리증상이 완화되기도 한다.

(2) 행동심리증상의 이유를 묻기 위해 짧고 간단한 문장으로 천천히 말한다.
잘 알아들을 수 없으면 환자에게 다시 묻는다.

(3) 책임 추궁의 느낌이 있는 "왜" 질문은 피한다

(4) 긍정적 표현을 한다.

(5) 환자와 말다툼하지 않는다

(6) 옳고 그름을 따지지 않고 환자를 있는 그대로 수용한다

(7) 비약물적 개입을 우선 적용한다.

(8) 약물치료의 경우 약의 효과, 부작용 등을 모니터링 하여

의료진에게 보고한다.

(9) 일상생활 유지 : 매일 같은 시간에 식사, 활동 등을 하는 등 하루의 루틴을 만들면 환자의 스트레스, 행동심리증상을 감소시킬 수 있다

2) 불면증

수면할 때 뇌 안의 독성물질이 제거되므로 숙면의 중요성이 강조되고 있다.

(1) 일정한 시간에 기상과 취침하게 한다.
(2) 편안하고 안전한 잠자리 제공한다.
(3) 잠자리는 잠을 자는 용도로만 사용하게 한다. 침대에서 책을 보거나 TV 시청, 일하기 등은 금한다.
(4) 수면 도중에 깨었을 때 텔레비전 시청을 금지한다.
(5) 항상 일정한 시간에 식사하게 한다.
(6) 알코올, 카페인, 니코틴은 제한한다.
(7) 잠자리에 들기 전에 소변을 보게 한다.
(8) 표현하지 못한 통증을 발견하여 제거해준다.
(9) 아침 햇살을 받으며 시간을 지각하게 한다.
(10) 취침 전에 목욕이나 마사지를 해준다.
(11) 매일 규칙적 운동이 필요하다. 수면 3~4시간 전에는 운동을 제한한다.

*출처: 서울특별시 광역치매센터 바로가기

3) 기억상실

(1) 환자가 사실이 아닌 얘기를 한다고 해도 수정하려 하지 않는다.

(2) 조금 전에 한 이야기를 처음 하는 것처럼 계속 반복해서 얘기해도 지적하지 않고 들어준다. 조금 전에 이야기했다는 사실을 잊어버리고 반복해서 이야기하는 것이다.

예를 들어, 계모가 학교를 안 보내고 일을 시켰다는 말을 15분 동안 색칠 공부를 하면서 3~4회 반복한다.

(3) 중요한 사건을 보여주는 사진을 걸어둔다.

(4) 연속적 사진으로 친한 사람의 예전 모습과 현재 모습을 비교할 수 있게 한다.

(5) 가까운 사람의 이름을 모르거나 알아보지 못하면 자신을 소개하고 환자와의 관계도 알려준다. 예를 들어, “안녕하세요, 엄마. 저는 엄마 딸인 순이에요. 손녀인 영옥이와 함께 왔어요.”

(6) 알아보지 못해도 모두 잊은 것은 아니다.

4) 배회

(1) 원인: 지루함, 약의 부작용, 무엇인가 혹은 누군가를 찾기, 신체적 욕구(갈증, 배고픔, 배변, 운동 등), 가기 싫은 곳에 갈 때, 낯선 상황, 갇혀 있음

(2) 관심을 가지고 욕구를 해결해준다

(3) 정기적 운동으로 에너지를 소비하게 한다.

(4) 외투, 신발 등 외출에 필요한 물건을 치운다

(5) 빨래 개기 등 익숙한 일을 부탁해서 그 일로 관심을 돌린다.

(6) 가고 싶은 곳을 묻고 대답을 잘 들어준다.

(7) 배회를 인정하고 동행한다.

(8) 이름, 주소, 보호자 전화번호 등을 기재한 인식표, 목걸이, 팔찌 등을 착용하게 한다.

(9) 경찰서에 치매 환자 사전 지문등록을 한다.

(10) 행복 GPS: 경찰서에서 수령할 수 있다. 팔에 착용하면 환자 혼자서는 풀기 힘든 위치추적 장치로 환자가 자주 가는 안전지역을 벗어나면 보호자에게 신호를 보낸다.

5) 실금

(1) 원인: 조절기능 손실, 화장실을 못 찾음 등.

(2) 자존심 상하지 않게, 당황하지 않게 한다.

실금했을 때 환자들은 창피해하면서 숨기려 한다.

야단치거나 따지지 말고 처리한다.

(3) 정기적으로 화장실에 가게 한다

(4) 탈수에 빠지지 않게 음료를 제공한다

(5) 화장실에 가는 길을 표시하고 '화장실'이라고 써놓는다.

(6) 기저귀 등을 사용한다.

(7) 입고 벗기 쉽고 물세탁 할 수 있는 옷을 입힌다.

6) 초조 행동

(1) 증상: 불안, 저주, 불평, 배회, 비명 등

(2) 원인: 신체적 질병, 심리적인 요소, 환경적 요소, 욕구 불충족, 배고픔, 갈증, 약물 중독(알코올, 카페인 등), 치료되지 못한 통증, 밝혀지지 않은 감염

(3) 초조행동의 원인을 파악하여 해결한다.

(4) 비의료적 개입이 소용 없으면 약물치료를 병행한다.

(5) 혼자 있는 시간을 줄인다

(6) 소음, 혼란 등을 줄인다

(7) 한 방에 많은 사람이 머물지 않게 한다.

(8) 물건이나 가구를 같은 위치에 두어 혼동하지 않게 한다.

(9) 뜨개질, 꽃 가꾸기 등 좋아하는 일에 집중할 수 있게 한다.

(10) 스낵이나 다른 행동으로 초조행동을 멈출 수 있게 한다.

7) 편집증

(1) 증상: 의심, 질투, 비난

(2) 병이므로 따지거나 비난하지 않는다.

(3) 돈이 없어졌다고 의심한다면 주머니나 지갑에 소량의 돈을 넣어두고 수시로 확인할 수 있게 한다.

(4) 잃어버린 물건을 찾을 수 있게 도와주거나 다른 일로 관심을 돌린다

(5) 비언어적 위로를 한다.
예) 가벼운 신체 접촉, 공감한다는 제스츄어.

8) 망상

(1) 개인의 사회적, 문화적 배경에 따라 다른 망상이 생길 수 있다.

(2) 망상적 오해는 시각과 인지의 저하가 혼합되어 생긴다.

(3) 잘못 두기 쉬운 물건들은 여벌의 것 준비하여 환자가 찾을 때 준다.

예) 가족이 모두 사기꾼이며 전혀 알지 못하는 사람들과 함께 살고 있다는 망상 때문에 가족이 큰 상처를 받을 수 있다. 또 친한 친구가 집 청소를 해주었는데 반지를 훔쳐갔다고 의심해서 친구 관계에 이상이 생긴다.

9) 환각

(1) 치매에서는 시각, 청각, 후각, 미각, 촉각 등이 영향을 받는다. 감각기관이 전달한 정보를 뇌에서 잘못 해석해서 환각이 생긴다.

(2) 정기적 청각, 시각 검사를 통해 감각저하가 확인되면 시정해준다. 예) 시력 교정, 귀지 제거 등.

(3) 유리창의 반영을 귀신, 악당 등으로 착각할 수 있으므로 커튼이나 블라인드로 반영을 가린다

(4) 양치질, 치과 체크 확인: 입안이 불편하면 이상한 것을 넣었다고 착각할 수 있다

(5) 약의 부작용을 확인한다.

(6) 영양과 수분섭취를 체크

환각 증상은 환자마다 다 다르게 나타난다.

예) * 바닥에 많은 벌레가 기어간다고 불안해하면서 걸레로 닦을 때 무슨 벌레가 있느냐고 따지지 않고 힘드시죠 하면서 함께 닦으니 그런 증상이 사라진 경우도 있다.

* 보이지 않는 사람을 야단칠 때도 아무도 없다고 하지 말고 그런 행동이 없어질 때까지 기다린다.

10) 청력 약화

(1) 시끄러운 음악을 피한다.

(2) 대화 시에는 TV, 라디오, 배경 음악 OFF.

(3) 앞에서 눈을 보며 말하고 바디랭귀지를 사용하기도 한다.

(4) 말을 잘 알아듣지 못하면 그림을 사용한다.

예) 그림에서 먹고 싶은 과일을 고르게 한다.

(5) 듣기를 어려워하면 글씨를 써서 보여준다

(6) 위험하지 않다는 것을 인식시킨다

11) 같은 질문을 계속 할 때

(1) 치매 환자는 자신이 질문한 것과 대답을 들었다는 사실을 기억하지 못해서 계속 질문을 하는 경우가 많으므로 질문하는 이유를 파악하여 그와 관련된 물건을 치운다.

② 간식 제공, 좋아하는 일 권유 등으로 환자의 관심을 다른 곳으로 돌린다.

③ 질문을 계속하는 시간을 파악하여 그 시간에 다른 활동을 하게 유도한다.

예) 환자가 외출하기로 한 날에 대해 계속 질문을 한다면 달력에 그 날짜를 표시해 놓고 환자에게 알려준다.

12) 의사소통력 저하

(1) 언어적 소통방법

① 환자의 신체적 상태를 파악한다

말기에는 통증, 불편 등을 표현을 할 수 없으므로 규칙적으로 환자의 상태를 파악한다.

② 자존심이 상하지 않게 조심한다.

환자가 잘못 해도 화를 내거나 야단치지 않고

'부탁합니다', '감사합니다' 등의 말로 따뜻한 분위기를 유지한다.

③ 짧고 간단하고 이해하기 쉬운 말을 한다.

* 한 문장에 5~6개의 단어를 사용한다.
* 필요한 말을 먼저 하고 부연설명은 나중에 한다.
* '예-아니오' 등 간단한 대화법을 시도한다

④ 환자에게 보조를 맞추어 천천히 말한다.

* 환자의 불안, 공포 등을 충분히 표현하게 격려한다.
* 환자의 말을 들을 준비가 되어있음을 알려준다.
* 환자의 말에 공감하려고 노력한다.
* 환자가 이해할 수 있는 말을 사용하며 신조어, 유행어 등은 자제한다.
* 대화 내용을 이해할 수 있도록 충분한 시간을 준다.

⑤ 반복 설명한다

인지기능의 저하로 말을 잘 이해하지 못하거나 오해할 수 있으므로 반복하여 설명한다.

⑥ 어린아이 대하 듯 하지 않는다

존칭어를 사용하고 명령투로 말하지 않는다.

⑦ 한 번에 한 가지만 말한다.

예) '식사하세요' 대신에 '숟가락 드세요', '밥 드세요', '고기 드세요' 등으로 행동을 끊어서 지시한다.

⑧ 가까이에서 눈을 보며 대화한다

* 1m 내에서 환자와 눈높이를 맞추며 대화하되 사적인 공간(70cm 정도)은 존중한다.

* 뒤에서 말을 걸면 돌아보다 균형을 잃고 넘어질 수 있다.

* 무언가에 열중해 있을 때는 말을 걸지 않는다.

⑨ 현실을 알려준다.

지남력이 약해져 시간과 장소를 혼동할 수 있으므로 일시, 장소, 이름 등을 알려주며 대화한다.

예) OO씨, 지금 12시에요. 점심 드세요

⑩ 과거를 회상할 수 있게 돕는다.

* 옛날 일은 비교적 잘 기억하므로 예전 일을 회상하면서 자신감, 자존감을 얻게 한다.

* 잘 아는 노래를 함께 부르거나 잘 할 수 있는 요리를 함께 만든다.

⑪ 조용한 분위기를 조성하고 부드럽고 사실에 근거한 대화를 한다. 이야기를 할 때는 TV, 라디오를 끄고 다른 잡음도 들리지 않게 한다.

⑫ 부정형 문장보다 긍정형 문장을 사용한다.

예) "늦게 주무시지 마세요" 대신에 "일찍 주무세요"라고 말한다.

(2) 비언어적 소통방법 :

중증 치매인 경우 언어적 소통이 불가능할 수 있으므로 비언어적 소통을 시도해야 한다.

① 제스츄어: 중증 치매환자에게는 제스츄어가 중요한 의사소통 수단이므로 그 의미를 잘 파악해야 한다.

② 얼굴 표정: 미해결 욕구를 표정으로 표현할 수 있다.

③ 의사소통 속도: 환자와 보조를 맞추어 대화한다.

④ 눈맞춤

⑤ 신체 접촉: 의사소통이 잘 안되면 손을 잡고 시도해본다. 신체접촉을 통해 위로, 격려를 할 수 있다.

⑥ 음성: 어조, 높낮이 등을 통해 감정이 전달된다.

13) 의복

(1) 입고 벗기 쉽고 안전한 옷이 좋다.

(2) 옷을 입는 순서를 정해주고 스스로 입게 한다.

(3) 환자가 좋아하는 옷을 입게 한다.

(4) 옷을 갈아입어야 할 때 거부한다면 그 이유를 납득할 수

있게 설명해준다.

(5) 낮에는 일상복, 밤에는 잠옷을 입게 해서 시간을 인지하게 한다.

(6) 새 옷이나 새 신발을 제공할 경우 예전과 똑같은 것을 헌 것처럼 만들어서 준다. 새 것이라고 생각하면 적응하지 못하고 거부할 수 있다.

예) 낙상의 위험이 있는 헌 신발 대신 새 신발을 줄 때 같은 신발을 헌 것처럼 보이게 만들어서 준다.

14) 불안

(1) 불안해하는 이유를 알아내어 제거한다.

예) 통증, 약의 부작용 등.

(2) 환자와 싸우거나 논쟁하지 말고 환자를 지지해준다.

(3) 더 많은 관심을 갖고 따뜻하게 대한다.

(4) 곧 있을 일에 대해 간단하면서도 명확하게 설명해주며 그에 대한 환자의 반응에 긍정적으로 대응한다. 예를 들어, 외출할 시간과 장소, 동행자 등에 대해 상세하게 설명해주고 그에 대한 느낌을 말하게 한다. 며칠 후에 외출할 경우 달력에 그 날짜를 표시해서 환자가 불안해하지 않게 한다.

(5) 이유 없이 불안해하면 말로 진정시키기보다는 환자가 잘

했던 일 (예를 들어 빨래 개기, 신발 정리하기 등)을 하게 한다. 다른 일에 집중하면서 불안했던 사실을 잊을 수 있다.

(6) 환경이 갑자기 바뀌는 이사는 큰 스트레스를 준다. 실내에서 길을 잃거나 화장실을 못 찾아 불안하고 실금도 할 수 있으므로 '안방','화장실' 등을 써 붙인다.

15) 식사 시에 주의할 점

(1) 마음 놓고 천천히 먹을 수 있는 분위기를 조성한다.

(2) 일정한 시간에 식사하게 한다.

(3) 한 수저에 한두 가지 음식만 준다.

(4) 환자가 잘 구분할 수 있도록 식탁보, 식기 등의 색을 다르게 한다.

(5) 재촉하지 않으며, 식사시간은 적어도 45분 이상 되게 한다.

(6) 생선은 뼈를 발라서 주고, 과일은 씨를 빼고 주며, 양념장은 조금만 준다.

(7) 먹는 것 이외는 식탁 위에 올리지 않는다.

(8) 음식이 호흡기로 넘어갈 수 있으므로 주위가 산만해지지 않게 한다.

(9) 연하곤란 환자는 식사 시 몸을 똑바로 세운 상태를 유지하게 한다.

(10) 영양의 균형을 생각하여 두부, 생선, 고기, 달걀 등 단백질 섭취를 높여주고 섬유질이 많은 음식도 제공한다.

(11) 식사보조 기구를 사용하여 스스로 식사할 수 있게 한다.

(12) 수저를 사용할 수 없을 때는 손가락으로 집어먹을 수 있는 음식을 준비한다.

(13) 국은 걸쭉하게 갈아서 머그잔 등에 담아서 그대로 마실

수 있게 한다.

(14) 친한 사람과 같이 식사할 수 있게 한다.

(15) 당뇨가 있으면 단 음식에 주의하고 고혈압이 있는 경우 싱거운 음식을 준비한다.

(16) 물을 충분히 마시게 하여 탈수를 예방한다. 하지만 식사 1시간 전에는 음식을 먹을 수 있도록 수분섭취를 제한한다. 물을 마실 때 턱을 아래로 내리면 사래에 걸리지 않을 수 있다.

(17) 너무 뜨거운 음식은 주지 않는다.

(18) 음식물을 다 삼켰나 확인한다.

(19) 식사 후에 양치질로 구강 내를 청결히 해 준다.

(20) 먹기를 거부하는 경우에는 다른 활동을 한 후에 다시 먹게 한다.

16) 실종

(1) 경찰청(☎112)에 실종 신고를 한다.

(2) 찾아보기

① 치매 환자는 길을 찾지 못하면 무조건 직진하시는 경향이 있으니 방향을 고려해서 찾아본다.

② 집과 집주변 및 정류장, 평소 자주 가던 곳에서 찾아본다

③ 자주 가고 싶다는 말을 했던 곳이나 과거 실종 경험이

있는 지역에서 찾아본다.

④ 평소 가까이 지내던 환자의 지인에게 연락해본다.

⑤ 구석진 곳에 숨어 들어가 있을 수 있으므로 구석진 곳이나, 지하실 등에서 찾아본다.

⑥ 과거에 살았던 지역이나 추억이 있는 가고 싶다는 말을 했던 곳 등을 중심으로 찾아본다.

⑦ 지하철 CCTV등을 확인해서 행선지를 추측한다.

(3) 실종 예방 장치

① 실종방지 인식표

* 대상: 실종이 염려되는 어르신 또는 치매환자

* 신청: 전국 시군구 보건소 치매상담센터

* 비용: 무료

* 고유 번호가 부여된 인식표를 제작하여 제공한다.

② 경찰청 지문사전등록

* 방법: 경찰서, 지구대, 파출소 방문

* 인터넷신청: (안전Dream－www.safe182.go.kr) 신상, 사진등록 후 경찰서 방문해 지문등록

* 문의: 182

③ 실종방지 팔찌

* 신청: 한국치매가족협회 홈페이지 배회구조센터

* 개인 인적사항 입력: 보호자 연락처를 알 수 있는 팔찌

를 제작해 준다.

* 비용: 3만원(연회비 1만원, 팔찌등록비 2만원)

* 문의: 02)431-9963

④ 배회감지기(GPS위치추적기) 신청

* 대상: 노인장기요양서비스 재가급여 수급자

* 신청: 공단복지 용구팀(02-3270-6710),

GPS 공급업체(1544-0206)로 문의

* GPS 위치추적기를 이용하여 대상자의 위치를 실시간으로 무료로 파악할 수 있다.

* 분실 시 기종에 따라 16만원까지 본인부담금이 있다.

⑤ 치매체크앱: 대상자와 보호자가 스마트폰을 사용하는 경우 치매체크앱을 설치하여 실시간으로 위치를 파악할 수 있다

중앙치매센터 홈페이지(http://www.nid.or.kr) 바로가기

17) 비약물적 요법

치매치료제는 아직 없고 진행을 완화시키는 약이 있을 뿐이다. 약물과 비약물적 요법을 병행하면 지연 효과가 상승된다. 인지교육과 신체훈련을 통한 개입은 경도인지장애 환자가 치매로 전환되는 것을 지연시키거나 방지하는 효과가 있다.

(1) 회상요법

긍정적이고 행복한 일을 기억하게 하여 과거와 현재를 이어주는 요법이다. 사진이나 그림, 글, 행동 등을 이용하여 과거를 기억할 수 있게 도와준다. 예를 들어, 치매로 기억이 점점 희미해지는 노인이 춤을 좋아하는 것을 알아내고 도라지 타령에 맞춰 춤을 추게 했다. 예전의 춤사위를 기억하고 춤에 몰입하면서 어렸을 때 학교 대표로 나가 춤을 추었던 이야기를 들려주었다. 이후에 자신감을 회복하고 인지학습도 더 열심히 하게 되었다.

(2) 인정요법

인지기능 저하와 지남력 상실로 자신감을 잃은 환자의 행동을 비판하지 않고 있는 그대로 수용해주는 요법이다. 예를 들어, 30분 동안 같은 이야기를 같은 어조로 3~4회 반복하는 어르신의 이야기를 처음 듣는 것처럼 경청하고 인정하니 마음을 열어 라포 형성에 도움이 됐다. 만들기를 할 때 잘하지 못해도 잘한다고 칭찬해주니 자신감이 생겨 더 열심히 하게 되었다.

(3) 운동요법

치매 환자는 집에 있는 시간이 많아서 근육, 관절의 사용이 제한되므로 낙상의 위험이 있다. 가볍고 반복적인 운동으로 낙상을 방지할 필요가 있다. 신체 건강은 뇌 건강과 직결되므로 운동은 치매의 진행을 지연시키는 효과도 있다. 단, 환자의 상태에 맞춰 적절한 운동을 해야 한다. 약 복용으로 어지러울 수 있으므로 침대나 식탁을 잡고 하는 등의 세심한 배려가 필요하고 너무 과한 운동은 피한다.

(4) 미술, 원예, 음악 요법

언어기능의 저하로 의사소통이 어려운 환자는 미술, 음악, 원예 등의 예술 활동을 통해 마음을 표현할 수 있다. 그림을 잘 그리지 못하거나 색칠을 잘 하지 못해도 수치심을 느끼거나 멸시당하는 느낌을 받지 않게 한다. 혼자서 하지 못하는 작업은 도와주면서도 환자가 참여할 수 있는 여지를 남겨 스스로 했다는 자부심을 느끼게 한다.

3. 약물 치료

※ 약물치료 시 주의 사항

1. 의사소통 장애가 있는 치매환자의 경우 약화 사고의 가능성이 높다
2. 치매 환자는 증상을 표현할 수 없으므로 돌봄인이 잘 관찰하여 의료진에게 설명해야 한다.
3. 약물 복용에 변화(증량, 첨가, 교환 등)가 있을 때 환자에게 나타나는 증상을 모니터하여 의료진에게 알린다.
4. 인지기능 개선제는 상시 복용하게 한다.
5. 행동심리증상 완화제는 의사의 처방에 따라 일시적으로 복용하게 한다.
6. 치매 환자는 기억력 장애로 약을 안 먹거나 과다 복용 할 수 있으므로 조호자가 복용 관리를 해야 한다.
7. 병용 복용이 많을수록 부작용도 증가한다
   : 2가지 병용은 13% 증가, 4가지 병용은 38% 증가
8. 치매 진행으로 심부전, 폐렴, 요로감염 등이 생기면 이 병의 치료도 함께 해야 한다.
9. 약을 제시간에 안 먹었다면 그 날 안에 먹게 한다.
10. 전날 약을 안 먹었어도 다음날 2배 아닌 정량만 먹인다.

1) 인지기능 개선제

치매치료제는 없다. 치매의 인지기능 저하를 지연시키는 약이 있을 뿐 치료제는 아니다. 약은 건강보험급여를 받을 수 있으며 이를 위해서는 6개월~1년마다 MMSE 검사를 받아야 한다.

(1) 종류

① 아세틸콜린 분해효소 억제제: 기억을 관장하는 아세틸콜린 호르몬의 농도를 적절히 유지시키는 작용을 한다.
도네피질, 갈라타민, 리바스티그만

② NMDA 수용체 길항제: 신경 독성에서 뇌세포 보호를 보호하는 역할을 하며 중등도 이상의 치매에서 사용할 수 있다.
메만틴

(2) 목적

치매 경과 지연으로 간병부담 완화, 일상생활 유지 가능, 시설 입소 지연으로 비용 감소, 정신행동증상 감소

(3) 유의사항

① 초기에 복용할수록 뇌 손상의 속도가 완화되므로 약물의 효과가 좋다

② 치매 예방약이나 두뇌 영양제가 아니므로 경도인지장애 환자가 복용했을 경우 효과는 적고 부작용이 있다

③ 저용량으로 시작해서 천천히 증량한다: 약의 양을 늘릴수록 부작용도 심해진다

④ 처음 복용하거나 증량할 때 두통, 설사, 오심 등의 부작용이 일시적으로 나타날 수 있다.

2) 행동심리증상 완화제

(1) 종류

① 항정신병 약물

환각, 망상 등의 정신병적 증상에 사용

② 항우울제, 기분 안정제

우울, 감정의 불안정 증상에 사용

③ 항불안제, 수면제

불안, 초조, 불면 등에 사용한다.

(2) 유의사항

① 중증 치매환자의 90% 이상에서 행동심리증상이 나타나고 초·중기에서도 40% 이상 나타난다. 인지기능 장애보다 행동심리증상이 돌봄을 더 어렵게 만드는 원인이다.

② 행동심리증상을 위해 비약물적 치료를 먼저 한다. 그런 방법으로 감당할 수 없을 때는 약물치료를 시작한다.

③ **미미한 약효도 환자와 조호자에게는 큰 도움이 된다.**

④ 행동심리증상은 약물치료로 조절이 잘 되지만 부작용이 나타날 수 있다: 전문의의 지시에 따라 사용한다.

⑤ 목표 행동심리증상(예: 불안)이 무엇인지 명확하게 정의해야 그에 맞는 약을 사용할 수 있다.

⑥ 대부분의 약은 하루 한 번 복용하게 한다. 약의 부작용인 수면 효과를 활용하기 위해 밤에 복용하게 한다

3) 약물의 부작용

항정신약물: 졸음, 무기력, 입마름, 침흘림, 변비, 손 떨림, 몸이 뻣뻣해짐, 시야가 흐려짐, 한 쪽 어깨가 기울어짐

항우울제: 오심, 구토, 설사, 복통, 식욕저하, 입마름, 두통

항경련제: 졸음, 피부발진, 백혈구감소증

항불안제: 졸음, 기운 없음, 혼돈

수면제: 졸음, 기운 없음, 비틀거림, 혼돈, 섬망

인지기능개선제: 오심, 구토, 두통, 서맥

* 복용하는 약에 따라 부작용이 다르므로 약이 바뀌면 부작용을 잘 관찰한다. 약의 효능은 개인차가 크므로 잘 관찰하면서 용량을 조절하여 부작용을 방지한다.

경도인지장애 치료

1. 당뇨병, 고혈압, 고지혈증 등 혈관질환 치료
2. 인지 치료: 저하된 뇌 기능을 유지 혹은 향상시키기 위한 치료
3. 운동: 신체 건강은 뇌 건강과 직결된다. 건강을 위해 주 3회 이상 운동을 해야 한다.
4. 적당한 식사
5. 약물치료: 알츠하이머 치료제(경도인지장애의 종류에 따라서 투약 여부 결정), 은행잎추출물 제제, 콜린 전구물질 제제, 비타민 B군 보충제, 우울증이 심한 경우엔 항우울제, 혈관성 질환이 있는 경우 혈전방지제 및 콜레스테롤 저하제, 행동심리증상이 있으면 행동심리증상 완화제 사용.

제5장

치매의 국가 지원

1. 정부의 지원

우리나라에서 처음 발표된 치매 정책은 1996년의 '삶의 질 세계화'를 위한 노인·장애인복지 종합대책이다.
2008년 제1차 치매관리종합계획으로 정책의 기반을 다진 이후에 2012년 2차 종합계획, 2015년 3차 종합계획, 2017년 치매국가책임제 정책을 실행하고 있다.
치매안심센터 운영, 치매 조기발견을 위한 선별검사, 치료비 지원 등의 치매 관련 사업은 조세에서 지원된다.
* 지역사회 중심의 치매 예방과 관리
* 치매 환자에게 진단·치료·돌봄 제공
* 치매 환자 가족의 부양 부담 경감
* 연구통계 및 기술을 통한 인프라 확충
* 치매 가족 온라인 자가 심리검사·상담 지원
* 치매 상담 콜센터를 통한 24시간 치매 가족 상담제공, 사례관리
* 치매 가족 여행 바우처 지원

예) 주민등록소재지의 치매안심센터에 등록한 치매 환자를 위한 물품지원

① 치매환자 등록시 필요서류 : 처방전, 진단서(질병분류기호 꼭 표시), 신분증(어르신, 보호자), 가족관계증명서

② 지원물품 : 기저귀(중형,대형), 미끄럼장지 양말, 방수시트, 미끄럼방지매트 등(1년간 지원)

2. 노인장기요양보험

고령화 사회에 접어들면서 고령이나 노인성 질병 등으로 일상생활이 어려운 노인이 급증하고 이로 인한 가족의 부담도 급증하고 있다. 가족의 부담을 덜어주기 위해 노인장기요양제도가 도입되었다. 독립적인 일상생활이 어려운 65세 이상의 노인에게 국가에서 질병치료, 가사활동 지원을 제공하여 안정적이고 건강한 삶을 영위할 수 있도록 도와주는 제도이다. 노인장기요양보험법에 따라 시행되고 있지만 관리 및 운영은 국민건강보험공단에서 하고 있다.

* 2011년 「치매관리법」을 제정하고 2017년 치매국가책임제를 발표한 후 2018년 노인장기요양보험에 인지지원등급을 신설하여 신체기능과 무관하게 치매 정책의 혜택을 받을 수 있게 되었다.

* 치매·중풍 등으로 혼자서 일상생활이 어려운 노인에게 요양시설, 재가 장기요양기관을 통해서 신체활동 또는 가사지원 등의 서비스를 제공한다. 처음에는 중풍 환자가 많았으나 지금은 노인장기요양인정을 받은 사람의 대부분이 치매 환자이다.

* 환자 가족을 위한 지원 정책도 있다.

* 5등급과 인지지원등급은 의사의 치매 진단이 있어야 등급을 받을 수 있다.

1) 검사 신청

국민건강보험공단의 노인장기요양운영센터에 전화, 방문하거나 인터넷 홈페이지를 통해 신청한다.

2) 검사 단계

(1) 선별검사: 인지기능 저하 여부 검진

(2) 진단검사: 인지기능 저하 시에 치매 확진을 위한 검진

(3) 감별검사: 원인 규명을 위한 혈액, MRI 검사

3) 검사 내용과 비용

(1) 선별검진 및 정밀검진은 무료.

(2) 원인확진검사(MRI, CT)는 본인부담,

저소득층의 경우 검사비 일부를 지원.

신경정신과 전문의, 신경과 전문의에게 치매진단 의뢰

검사단계		대상	목적	치매국가 책임제 전	치매국가 책임제 후
1	선별	60세 이상	고위험군 선별	보건소 (무료)	치매안심센터 (무료)
2	진단	60세 이상	고위험군 선별	보건소 (무료)	치매안심센터 (무료) (CERAD-K - 6만 5000원, SNSB - 15만 원)
3	감별	선별검사 결과 인지저하	치매진단	병원 CERAD-K : 약20만 원, SNSB : 약 30~40만 원)	혈액 및 컴퓨터 단층(CT) 검사: 5~6만 원 자기공명영상(MRI) 검사: 14~33만 원

<비용지원>
60세 이상이면서 중위소득 120% 이하인 경우 ②단계 검사(8만 원 상한) ③단계 검사 시 상급종합병원(11만 원), 그 외 병의원(8만 원) 이내 본인부담금 지원

* 자세한 내용은 〈서울특별시 광역치매센터〉 홈페이지에서 확인하세요.

4) 장기요양인정의 신청

(1)신청장소 :전국 공단지사(노인장기요양보험운영센터)

※ 공단 지사 중 강남동부지사, 강남북부지사, 서초북부지사, 영등포북부지사, 광산출장소는 운영센터가 없어 장기요양 신청서 접수 이외의 장기요양 상담 및 업무 불가능

(2) 신청방법 : 공단 방문, 우편, 팩스, 인터넷 (외국인은 불가능) , 「The 건강보험」앱 (외국인은 불가능)

※ 갱신신청의 경우 통화자의 신분확인 절차를 거쳐 유선신청 가능

(3) 신청인 : 본인 또는 대리인

※ 대리인 : 가족, 친족 또는 이해관계인, 사회복지전담공무원, 치매안심센터의 장(신청인이 치매환자인 경우에 한정), 시장 · 군수 · 구청장이 지정하는 자

5) 신청 자격 및 대상

* 자격 : 장기요양보험가입자 및 그 피부양자, 의료급여수급권자
* 대상 : 만65세 이상 또는 만65세 미만으로 노인성 질병을 가진 자
* 노인성질병 : 치매, 뇌혈관성질환, 파킨슨병 등

대통령령으로 정하는 질병

* 장애인 활동지원 급여를 이용 중이거나 이용을 희망하는 경우 장애인활동지원 급여를 이용하기 전 장기요양보험 혜택을 받게 되면 장애인 활동지원급여 신청이 제한될 수 있으며, 장기요양 등급을 포기하더라도 장애인활동지원급여를 신청할 수 없다.

(장애인 활동지원 문의 : 국민연금공단 ☏ 1355)

6) 신청 시 제출 서류

(1) 장기요양인정신청서

국민건강보험공단 지사(운영센터) 또는 홈페이지 (www.longtermcare.or.kr)에 접속하여 자료마당〉 서식자료실〉 게시물 - [별지 제1호의2서식]을 다운받는다.

(2) 의사소견서

장기요양인정신청서와 함께 제출하여야 하나, 65세 이상인 경우 등급판정위원회에 심의자료 제출 전까지 제출할 수 있다.

7) 장기요양 인정신청과 등급판정

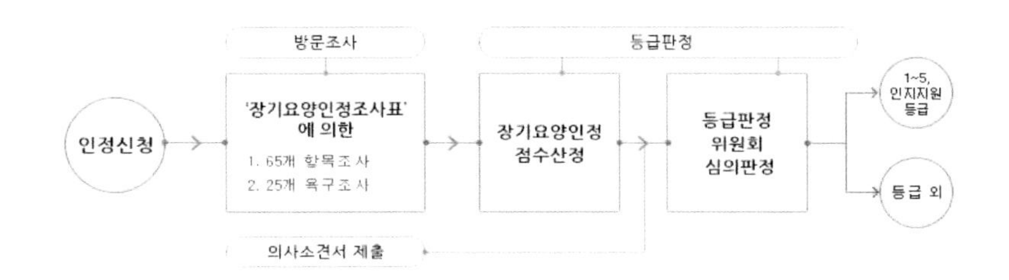

공단 직원이 신청인 거주지를 방문하여 조사한다.
조사내용은 기본적 일상생활, 수단적 일상생활, 인지기능, 행동변화, 간호처치, 재활영역 등을 12개 영역 90개 항목으로 조사하고 이 중 52개 항목을 요양 인정 점수 산정에 사용한다.
심신의 기능상태에 따라 일상생활에 도움이 얼마나 필요한지를 지표화한 장기요양인정점수를 기준으로 등급을 구분한다.

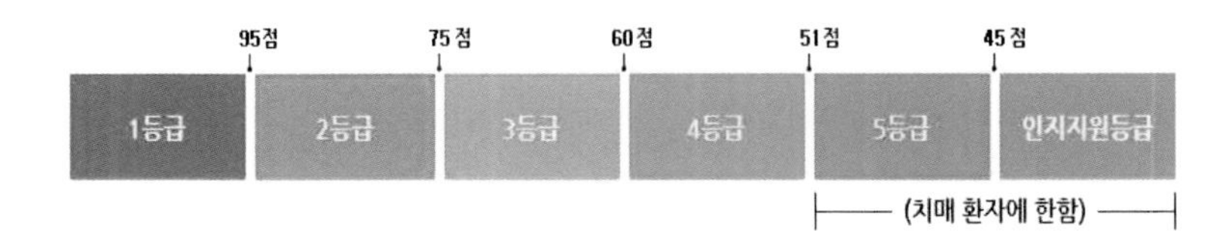

8) 등급에 따른 지원

등급	일상생활의 심신 기능	재가급여 월한도액(원)	재공 급여
1	전적으로 타인의 도움이 필요한 자	1,672,700	시설, 재가 급여
2	상당 부분 타인의 도움이 필요한 자	1,486,800	
3	부분적으로 타인의 도움이 필요한 자	1,350,800	재가 급여
4	일정 부분 타인의 도움이 필요한 자	1,244,900	
5	치매환자로 장기요양 인정점수가 45-50점인 자	1,068,500	인지활동형 방문요양, 방문간호, 주야간보호, 단기보호
인지지원	치매 환자로 장기요양 인정점수가 45점 미만인 자	597,600	주야간보호, 복지용구
치매가족 휴가제는 모든 등급에서 급여 가능.			

* 예외적인 경우 3~5등급에서도 시설급여 허용

출처: 장기요양급여 제공기준 및 급여비용 산정방법 등에 관한 고시, 보건복지부고시 제2021-324호 (2021. 12. 27.).

9) 신청의 종류

종류	신청 사유	신청 시기	제출 서류
인정 신청	처음 신청	신청자격자가 급여를 받고자 할 때	*장기요양인정신청서 *의사소견서
갱신 신청	유효기간 종료 후 다시 급여를 신청	유효기간 종료전 90~30일 전	*장기요양 인정신청서, *의사소견서
등급 변경 신청	급여 수급 중에 신체적, 정신적 상태의 변화가 있을 때	변경 사유 발생 시	*장기요양인정신청서 *의사소견서
급여종류, 내용 변경 신청	급여 종류, 내용 변경 신청	급여 종류·내용 변경 사유 발생시	*장기요양 급여 종류·내용 *변경신청서 사실확인서 (제출 필요시)

10) 장기요양인정서 수령

(1) 장기요양인정서

'수급자에게 주는 증서'로 장기요양등급, 급여 종류 및 내용, 장기요양인정 유효기간 등이 적혀 있다.

* 장기요양인정 유효기간

최소 2년 이며 갱신신청 결과, 직전 등급과 같은 등급으로 판정된 경우 유효기간 연장

장기요양 1등급의 경우 : 4년

장기요양 2등급~4등급의 경우 : 3년

장기요양 5등급, 인지지원등급의 경우 : 2년

※ 갱신신청: 유효기간 종료 90일 전부터 30일 전까지 신청할 수 있다.

(2) 개인별장기요양이용계획서

수급자가 장기요양급여를 원활히 이용 할 수 있도록 발급하는 이용계획서로 장기요양기관과 급여계약을 체결할 때 장기요양인정서와 함께 제시한다.

(3) 복지용구 급여확인서

수급자의 심신상태 등에 따라 구입 또는 대여할 수 있는 품

목을 기재한 증서로 복지용구 구입, 대여할 때 제시한다.
장기요양급여의 제공 시기(노인장기요양보험법 제27조) 장기요양인정서를 수령한 날 부터 장기요양급여를 받을 수 있다.
(단, 돌볼 가족이 없는 등 대통령령으로 정하는 사유가 있는 경우는 장기요양인정신청서를 제출한 날부터 장기요양인정서가 도달되는 날까지의 기간 중에도 장기요양급여를 받을 수 있다.)

장기요양급여이용 절차
바로 가기

11) 이용 절차

(1) 장기요양인정신청 및 방문조사: 국민건강보험공단
(2) 장기요양인정 및 장기요양 등급 판정: 등급판정위원회
(3) 장기요양인정서 개인별 장기요양 이용계획서 송부 : 국민건강보험공단
(4) 장기요양급여 이용계약 및 장기요양 급여 제공 : 장기요양기관

12) 노인요양시설의 입소 대상자

(1) 자격

① 장기요양 1, 2등급 수급자

② 장기요양 3, 4등급자로 아래의 사유로
　등급판정위원회로부터 시설급여를 인정받은 수급자

가. 주수발자인 가족구성원의 수발이 곤란한 경우

- 주수발자인 가족구성원이 방임 또는 유기하거나 학대할 가능성이 높은 때

- 주수발자인 가족구성원의 직장, 질병, 해외체류 등의 사유로 수발이 곤란한 때

- 독거이며 가까운 거리에 수발할 수 있는 가족(주수발자)이 없을 때

나. 주거환경이 열악하여 시설입소가 불가피한 경우.

- 치매 등에 따른 문제행동으로 재가급여를 이용할 수 없는 경우

- 치매증상이 확인된 경우

- 치매증상 요건이 확인되지 않았으나 수급자의 문제행동으로 가족의 수발부담이 크고 스트레스가 심한 상태에 있는 때

③ 장기요양 5등급자로 아래의 사유로 등급판정위원회로부터 시설급여를 인정받은 수급자

- 주수발자인 가족구성원의 수발이 곤란한 경우이거나, 주거 환경이 열악하여 시설입소가 불가피한 경우
- 제출한 의사소견서 및 인정조사표 상 치매로 인한 행동변화가 일정 수준 이상인 경우

(2) 기존 입소자 보호
- 2008.7.1. 노인장기요양보험제도 시행일 이전 시설급여 제공 장기요양기관에 입소해 있던 자 중(운영비 미지원 시설은 2008.6.1. 이전 입소자) 장기요양 1,2등급을 판정 받지 않은 자 「의사소견서」발급 안내
의사소견서는 인정조사 후 공단이 안내한 의사소견서 발급의뢰서에 따라 정해진 기한 내 반드시 제출해야 한다.
미제출시 등급판정을 할 수 없다.

3. 치매등록서비스 신청자를 위한 지원

주민등록상의 치매안심센터에 치매 등록을 했을 때 다음과 같은 지원을 받을 수 있다.

1) 치매치료비 지원

의료급여수급자와 건강보험료 기준 중위소득 120% 이하
인 경우 치매치료비(약제비와 진료비)를 월 3만원 한도 내에서 지원한다.

(1) 지원대상자: 만60세 이상으로 치매질병코드 진단을 받은 자 중에 치료기준에 해당되는 치매약을 복용하는 자.

(2) 치료기준

① 아세틸콜린 분해효소 억제제 또는 NMDA 수용체 길항 제를 성분으로 하는 약: 도네페질, 갈란타민, 리바스티그민, 메만틴

② 혈관성 치매인 경우 항혈소판 제제약: 아스피린, 실로스타졸, 클로피도그렐, 티클로피딘, 트리플루살, 와파린

(3) 신청절차

① 신청서류 제출-자격대상 여부 확인-적격자인 경우 신청일에서 3~4개월 후 계좌로 지급한다.

② 신청일 이전의 치료비는 소급지원하지 않는다.

(4) 지원 제외

① 보훈대상자 의료지원, 의료급여 본인부담금 상한제, 의료급여 본인부담금 보상제, 긴급복지 의료지원 등의 혜택을 받는 사람은 중복지원이 되므로 제외된다.

② 장애인 의료비 지원대상자는 약제비만 지원한다.

③ 치매예방약, 건강보조식품, 뇌혈관개선제 등은 지원하지 않는다.

2) 조호물품 제공

일반 기저귀, 요실금 팬티, 방수 매트 등을 제공

3) 실종방지 서비스

(1) 배회가능 어르신 인식표

(2) 지문 사전등록제

(3) 치매체크 앱

(4) 배회감지기

(5) 배회 팔찌

4) 인지 건강 프로그램 제공

(1) 치매안심센터에서 인지기능 유지 및 증진을 위한 프로그램을 무료로 제공한다.

(2) 비약물 치료 프로그램으로 대상자가 치매안심센터에 올 수 없으면 가정방문 프로그램도 가능하다.

5) 가족지지 프로그램 제공

부양 피로를 감소시키기 위한 마음 치유 프로그램, 치매 돌봄 교육 등을 제공한다.

6) 24시간 치매 상담 1899-9988

24시간, 365일 치매 상담이 가능하다.

7) 1:1 맞춤형 사례관리 제공

치매지원서비스에 대한 교육, 정보제공, 자역자원 연계

8) 치매 공공후견제도

재산관리, 병원진료, 관공서의 서류 발급, 은행계좌 개설 등 일상적인 업무를 치매환자와 1:1로 매칭된 후견인이 결정할 수 있다.

치매안심센터나 치매상담콜센터(1899-9988)에 문의하면 지원받을 수 있다.

9) 중증 치매 환자 산정 특례

(1) 진료비 부담이 많은 중증 치매 환자의 진료비를 경감해 주는 제도이다.

(2) 담당 의사가 발행한 '건강보험 산정특례 등록신청서'를 병·의원 또는 건강보험공단에 신청한다.

(3) 신경과 또는 정신건강의학과 전문의를 통해 신청할 수 있다.

1577-1000 **국민건강보험공단**에서 신청한다

10) 연말정산 혜택 126 국세청

(1) 기본공제 대상자 중 치매환자가 있을 때 신청할 수 있다.

(2) 치료 중인 의료기관에서 '소득세법에서 정하는 장애인증명서'를 발급받아 회사에 제출한다.

(3) 1인당 200만원이 공제된다.

(4) 의료비세액공제는 의료기관에 지급한 의료비, 노인장기요양보험법에 의한 본인부담금이 해당된다.

제6장 치매 환자, 경도인지장애 환자 사례

1. 건강코디네이터

서울시 50플러스센터에서는 2016년부터 보람일자리 사업을 하고 있다. 중장년층에게 사회참여 기회를 제공하고 노후생활을 지원하기 위한 사업으로 복지, 안전 등 7대 분야에 걸친 사업이다.
그중 하나인 건강코디네이터 사업에서는 경도인지장애 환자나 초기 치매 환자를 가정 방문하여 인지학습, 운동, 소근육과 두뇌활동 유지를 위한 공작 등을 한다. 이런 활동은 교육적 측면보다는 참여자에게 즐거움을 주고 생활의 활력을 제공하는 측면이 강하다.
 2023년에는 150명의 건강코디네이터가 4월에서 11월까지 활동했다. 그중 글쓴이가 담당했던 4명의 사례를 살펴보고자 한다.

2. 사례

1) 91세 남자 어르신

2년 전에 병원 검사를 하던 중 치매 진단을 받았다. 고학력자이고 사회활동도 활발하게 했으나 사업 실패로 서울 변두리에서 살고 있다. 어려운 모습을 보이기 싫어 친구와 교류는 하지 않는다.
부인의 보살핌을 받는다. 요양등급 5등급을 받았다. 주 5일 요양보호사가 와서 운동, 산책을 시키고 필요한 일도 해준다. 부인도 우울증이 있고 치매 남편을 돌보는 일이 힘들다고 한다.
치매약은 하루에 2번 복용하고 있다. 치매 조기발견으로 인지 상태는 나쁘지 않다. 어르신도 그 사실을 알고 조기발견 한 것을 다행이라 생각한다.
방문수업에서는 교제를 통해 언어, 수리, 지남력, 기억력 등의 학습을 한다. 시력이 좋지 않아 학습이 쉽지 않아도 열심히 한다. 주로 집에 있으므로 가벼운 운동을 통해 낙상을 예방한다.
회상요법으로 예전 일을 물어보면 상세하게 답하면서 그때의 감정도 느끼시는 것 같다. "어머님의 손을 놓고 돌아설 때에"라는 유행가를 부르면서 군대 갈 때 어머니와 이별하던 생각에 눈물을 흘리기도 했다. 유행가, 찬송가 등을 함께 부르자고 하면 "90이 넘어서 무슨 노래는" 하면서도 가사 하나 틀리지 않고 잘 하며 흐뭇한 미소를 짓는다.

생활 도구, 음식 이름 등은 잘 기억하지 못해서 그림을 보면서 이름을 알려주면 순간적으로는 알아보고 그와 관련된 이야기를 들려주기도 한다. 경청하면 이야기를 조리 있게 그리고 차분하게 잘한다.

불면증, 체력 약화 등으로 학습을 오래 할 수 없다. 집에서 침대에 누워있는 시간이 많아 밤에는 불면증에 시달린다.

인지학습, 운동, 만들기 등을 할 수 있어 주간보호센터에 가실 것을 권해드렸다. 어르신과 부인 모두에게 좋을 것 같은데 남에게 부족한 것을 보여주기 싫어하는 어르신이 거부해서 집에서 지낸다.

어르신은 방문학습이 재미있다고 하시며 90이 넘어서도 다른 사람과 함께 노래할 수 있어 좋다고 하신다. 인지학습을 할 때는 너무 쉬운 문제도 열심히 그리고 성실하게 푼다. 상고와 경제학과 출신이라 암산을 아주 잘 한다. 잘 아는 물건, 자주 먹던 채소, 자주 보았던 동식물 이름을 기억하지 못하는 것을 보면 인지장애는 있다. 인지학습은 잊어버린 것을 기억하게 하는 효과가 있다. 회상요법을 통해 예전의 감정을 다시 느끼게 하는 효과도 있다.

2) 78세 여자 어르신

뇌졸중 이후에 치매에 걸렸다. 치매 발병 후에 바로 투약을 하고 관리를 잘해서 진행은 느리다. 남편과 같이 살면서 도움을 받고 요양보호사도 매일 온다. 치매등급(5등급)을 받았다.

학교는 거의 안 다녀서 자기 이름을 쓸 수 있는 정도이다. 글을 읽을 때 발음이 정확하지 않다. 문해력은 떨어지지만 얘기하는 것을 좋아한다. 예전 일을 질문하면 놀랄 정도로 자세하게 이야기한다. 말을 하면서 자신감이 생기는 것 같다. 경청하면서 어르신과의 라포 관계가 형성되었다.

예를 들어, 우리나라에서 처음에 나온 TV 사진을 보여주자 그런 TV를 다른 집보다 먼저 사서 우쭐했던 기억, 동네 사람이 연속극을 보러 놀러왔던 기억, 즐겨봤던 연속극과 주연배우, 연속극 주제가 등 다양한 이야기를 했다.

교회에 다니고 이웃집 친구와 어울리는 등 사회활동도 하고 있다. 최근에 방문학습을 시작했다. 그림 그리기, 추억 나누기, 미로 찾기 등은 좋아한다. 글씨 쓰기, 읽기, 계산 등은 어려워한다. 어르신이 좋아하는 것 위주로 활동을 하면서도 이름 쓰기, 간단한 숫자 쓰기 등도 한다. 운동도 필요한 줄은 알지만 혼자는 안 하게 된다며 열심히 따라 한다.

손녀, 아들 등 가족 얘기도 많이 하고 자랑도 한다. 남편과 가족의 지지를 많이 받고 있다. 인정을 받는 것을 좋아하여 이야기를 잘 듣고 칭찬해준다. 예를 들어, 미로찾기를 할 때 자꾸 막히는 길로 가도 돌아서 다시 가게 하니 자신감을 가지고 끝까지 찾아갔고 다음에는 더 잘했다. 병원도 혼자 버스 타고 다니고 아직은 길을 잃은 적이 없다고 자신 있게 말한다.

가족과 요양보호사의 도움으로 가사도 스스로 하고 일상생활도 잘 유지하고 있다. 치매에 걸린 후 최근의 일을 잘 잊어버린다고 하지만 심한 것 같지 않다.

방문학습이 부족한 인지활동, 사회활동, 신체활동에 도움이 된다.

3) 82세 여자 어르신

조선족으로 젊었을 때 남편과 함께 우리나라에 왔다. 남편은 몇 년 전에 죽고 자식은 낳지 못했다. 어렸을 때부터 키운 조카가 유일한 친척인데 조카와는 사이가 좋다.

15년 전에 치매 진단을 받았다. 치매약도 꼼꼼하게 챙겨 먹고 인지학습도 열심히 해서 기억력이 좋고 일상생활도 잘 하고 있다. 이웃과 친하게 지내며 집에서 이웃들과 함께 식사할 기회를 자주 가진다. 요양보호사가 매일 오고 교회에 열심히 다닌다.

방문학습을 좋아하며 방학 때는 치매안심센터에 전화해서 학습을 빨리 시작해 달라고 재촉한다. 숙제도 열심히 하고 색칠공부도 꼼꼼하게 한다.

운동도 열심히 하고 치매약도 빠지지 않고 챙겨 먹으며 식사도 잘 하는 등 자기 관리를 철저히 한다. 치매 진단을 받았을 때도 꼭 이겨내고야 말겠다는 의지가 있었다고 한다. 이 어르신은 철저한 자기 관리와 사회생활, 배우려는 의지 등을 통해 치매의 진행 과정을 지연시키고 있다. 건강코디네이터 활동이 그런 의지를 강화하는 역할을 한다.

4) 70세 여자 어르신

정확한 나이를 모른다. 물어볼 때마다 다른 대답을 한다. 대장암과 위암 수술을 받고 항암제를 복용하고 있다. 치매약은 복용하지 않고 두뇌 영양제를 먹고 있다. 어르신의 자랑인 딸은 근처에 살며 어르신을 챙긴다. 아들과 함께 살며 스스로 살림을 한다. 집안일을 도와줄 사람이 필요한 것 같은데 요양등급이 없어서 집안이 복잡하다.

같은 말을 계속 반복하는 특성이 있다. 어렸을 때 계모가 학교에 못 가게 했고 아버지도 섭섭하게 했다는 얘기를 한 시간에 3~4회 이상 반복한다. 예전 일을 물어보면 대답을 잘 하는데 대답이 거의 정해져 있고 사용하는 단어가 많지 않다.

사회생활은 거의 안 하는 것 같다. 처음 방문했을 때보다 인지가 떨어져 글씨 쓰기, 계산, 판단력 등이 저하됐다. 요양등급을 받고 치매 치료를 받으면 좋을 것 같은데 방치되고 있다. 낮에도 두꺼운 커튼을 치고 불도 켜지 않아 실내가 컴컴하다. TV를 켜고 고양이와 함께 방에서 주로 있는 것 같다.

항상 웃는 얼굴로 반겨주고 활동도 열심히 한다. 잘 안 되는 것도 칭찬해주고 긍정적으로 수용하니 마음을 연 것 같다. 운동, 학습, 공작 등 활동을 모두 열심히 한다. 학습이 끝나고 엘리베이터까지 가면서 몇 마디 나누는 것을 좋아한다.
이 어르신은 사회활동이 제한되어 있고 아들, 딸 이외의 사람은 거의 안 만나는 것 같다. 건강코디네이터 사업에 참여하여 부족한 사회생활을 조금은 보충하고 있다. 또 언니와 동생은 대학까지 갔는데 어르신은 중학교 혹은 고등학교까지 다녔다는 열등감을 반복되는 말을 통해 표출한다. 인지학습과 운동이 더 배우고 싶다는 욕망을 일부분 충족시켜 준다.

* 에필로그

우리나라 노인 인구 중 1/3 정도는
경도인지장애 혹은 치매를 앓고 있습니다.

빨리 발견하면 완치도 될 수 있으며
진행 속도를 늦춰 더 나은 삶을 살 수 있는 치매
조기발견을 위해서는 전조증상이 무엇인지 알아야 하겠지요.

여기가 어딘지 내가 누군지 모르며
모든 자극이 낯설게만 느껴지는 치매 어르신.
그런 혼돈 상태에서 보이는 행동 심리증상들을
있는 그대로 수용하고 지지해 드려야겠지요.

부모님, 주변 어르신, 그리고 언젠간 나도?
알지 못하는 사이에 우리 곁을 파고드는 치매

우리 주변에는 치매에 걸렸지만
생활습관 변화, 운동, 인지 활동을 열심히 하는
예쁜이 치매 어르신이 많아요

치매
두려워하지만 말고
기저질환 치료, 좋은 생활습관으로
치매를 예방하고

날카로운 눈으로 조기 발견하여 관리하면
행복한 삶이 계속될 수 있어요.

* 참고문헌

* 강은나(2022), “노인장기요양보험의 치매정책 현황과 과제”, 보건복지포럼(2022. 10.), 64-74.

* 최미란(2017), “경도인지장애 노인의 일상생활 경험-인지향상 프로그램 참여자를 중심으로-”, 이화여대 박사학위논문.

* 정현강·한창수(2013), “일차의료 현장에서 치매의 진단 및 치료”, 대한의사협회지 56(12), 1104-1112.

* 『2014 치매전문교육』, 대한간호협회

* 국민건강보험 홈페이지

https://www.longtermcare.or.kr

* 서울특별시 광역치매센터

https://www.seouldementia.or.kr

* 중앙치매센터

http://www.nid.or.kr

*https://www.scie.org.uk/e-learning/enrolment/a086f000034F51LAA

* 부록

서울 25개 자치구 치매안심센터 전화번호

강남구	02)568-4203	동작구	02)598-6088
구로구	02)2612-7041~4	송파구	02)2147-5050
마포구	02)3272-1578~9	양천구	02)2689-8680~1
강동구	02)489-1130~2	은평구	02)388-8233
금천구	02)3281-9082~6	중구	02)2238-3400
서대문구	02)591-8071~4	영등포구	02)831-0855~8
강북구	02)991-9830~2	종로구	02)3675-9001~2
노원구	02)911-7778	중랑구	02)435-7540
서초구	02)591-1833	용산구	02)790-1541~3
성동구	02)499-8071~4	도봉구	02)955-3591~3
관악구	02)879-4910	성북구	02)918-2223, 2225
강서구	02)3663-0943~6	광진구	02)450-1381~4
동대문구	02)957-3062~4